POU…

DES… À
L'AUTOCUISEUR

GRÜND

TABLE

Texte anglais de Sue Probert
Adaptation française de Christine Colinet
Première édition 1980 by Octopus Books Limited,
59 Grosvenor Street, London W1

ISBN : 2-7000-6108-X
Dépôt légal : 4e trimestre 1981
Produced by Mandarin Publishers Limited
22a Westlands Road, Quarry Bay, Hong Kong
Photocomposition : P.F.C., Dole
Printed in Hong Kong

INTRODUCTION

Un autocuiseur vous permet de joindre l'utile à l'agréable : outre des économies de temps et d'argent, vous pourrez varier vos menus ou faire face aux invitations de dernière minute.

Une fois que tous les éléments, couvercle fermé et soupape mise en place, sont en position (pour cela conformez-vous au mode d'emploi livré avec votre autocuiseur) comment se passe la cuisson ? Vous posez l'autocuiseur sur le feu. C'est après le premier jet de vapeur par la soupape, que vous comptez le temps de cuisson indiqué dans chaque recette. Quand vous baissez le feu, la soupape s'immobilise, mais la vapeur doit continuer à s'échapper de temps en temps. Pour faire tomber rapidement la pression, quand le temps de cuisson est écoulé, soulevez la soupape au premier cran et toute la vapeur sortira. Otez le couvercle et servez votre plat.

NOTES

Toutes les cuillères sont rases.
Utilisez dans la mesure du possible des herbes fraîches. Si vous n'en avez pas, remplacez-les par un bouquet garni ou bien des herbes séchées (en divisant la quantité par deux).
Quand une recette indique du poivre, utilisez de préférence du poivre noir fraîchement moulu.
Le four doit toujours être préchauffé.

Potage au poulet

1 carcasse de poulet
1 pomme de terre pelée
1 oignon
1 branche de céleri, coupée en morceaux
1 pincée d'herbes de Provence
60 cl d'eau
sel et poivre
60 cl de lait
1 cuillère à soupe de persil haché

Otez toute la chair de la carcasse et mettez-la de côté.

Placez les légumes dans le panier et posez celui-ci dans l'autocuiseur. Posez dessus la carcasse, les herbes, l'eau, le sel et le poivre.

Fermez l'autocuiseur et comptez 20 minutes de cuisson après le premier jet de vapeur.

Ouvrez, ôtez le panier, coupez fin ou écrasez les légumes. Passez le liquide de cuisson et remettez-le dans l'autocuiseur. Ajoutez les légumes, la chair de poulet, le lait et le persil, et portez à ébullition.

Versez brûlant dans des bols individuels avec des croûtons.

Pour 4 personnes

Soupe aux pois cassés

180 g de pois cassés secs
25 g de beurre
1 oignon haché
1 branche de céleri coupée fin
1,2 l de bouillon de poule
1 jarret de porc
sel et poivre
2 saucisses de Francfort coupées en rondelles fines
persil haché pour décorer

Couvrez les pois cassés d'eau bouillante et laissez-les tremper 45 minutes ; égouttez-les.

Faites fondre le beurre dans l'autocuiseur et faites fondre doucement l'oignon, jusqu'à ce qu'il soit transparent. Ajoutez le céleri, le bouillon, le jarret de porc, salez et poivrez. Vissez le couvercle et comptez 20 minutes de cuisson après le premier jet de vapeur.

Ouvrez, ôtez le jarret, retirez la chair que vous couperez en petits morceaux et mettez-les de côté.

Passez la soupe au mixeur électrique, puis remettez-la dans l'autocuiseur avec le porc et les saucisses, et laissez réchauffer doucement. Rectifiez l'assaisonnement, versez dans une soupière, saupoudrez de persil haché et servez.

Pour 4 à 6 personnes

Potage américain

25 g de beurre
1 gros oignon haché
125 g de lard fumé, découenné et coupé fin
1 grosse pomme de terre coupée en dés
225 g de maïs en grains
60 cl de bouillon de poule
sel et poivre
60 cl de lait
2 cuillères à soupe de persil haché
80 g de gruyère râpé (facultatif)
persil haché pour décorer

Faites fondre le beurre dans l'autocuiseur et faites revenir doucement l'oignon et le lard, 4 à 5 minutes. Ajoutez la pomme de terre, le maïs en grains, le bouillon, salez et poivrez.

Fermez l'autocuiseur et comptez 5 minutes de cuisson après le premier jet de vapeur.

Dévissez le couvercle, ajoutez le lait, le persil et le fromage, et laissez réchauffer doucement, sans bouillir. Rectifiez l'assaisonnement et versez dans une soupière. Saupoudrez de persil haché et servez.

Pour 4 à 6 personnes

Soupe à la queue de bœuf

1 cuillère à soupe d'huile
1 queue de bœuf, coupée en morceaux
1 oignon haché
2 carottes coupées en rondelles
2 branches de céleri coupées fin
1 pincée d'herbes de Provence
2 cuillères à soupe de concentré de tomates
sel et poivre
1,2 l de bouillon de bœuf
1 cuillère à soupe de maïzena
4 cuillères à soupe de madère
1 cuillère à soupe de jus de citron
4-6 cuillères à soupe de crème fraîche

Faites chauffer l'huile dans l'autocuiseur et faites dorer de tous côtés les morceaux de queue. Dégraissez, puis ajoutez l'oignon et laissez-le revenir 2-3 minutes. Ajoutez les carottes, le céleri, les herbes, le concentré de tomates, salez et poivrez. Versez le bouillon, sauf 2 cuillères à soupe.

Fermez l'autocuiseur et comptez 45 minutes de cuisson après le premier jet de vapeur. Dévissez le couvercle.

Retirez les morceaux de queue et ôtez la chair que vous couperez fin. Dégraissez la soupe, puis passez-la au mixeur électrique avec la viande.

Délayez la maïzena avec le reste de bouillon, versez dans la soupe et portez à ébullition. Laissez cuire, tout en tournant, jusqu'à ce que cela épaississe. Ajoutez le madère et le jus de citron. Versez dans des bols individuels et posez au centre de chacun un peu de crème.

Pour 4 à 6 personnes

Soupe aux lentilles

180 g de lentilles
1,2 l d'eau
1 petit jarret de porc
1 oignon haché
1 carotte coupée en rondelles
1 gousse d'ail écrasée
1 cuillère à café de concentré de tomates
1 branche de céleri coupée fin
sel et poivre
persil haché

Mettez tous les ingrédients dans l'autocuiseur, salez et poivrez. Vissez le couvercle et comptez 15 minutes de cuisson après le premier jet de vapeur. Soulevez la soupape pour que la vapeur s'échappe, puis dévissez le couvercle.

Otez le jarret et coupez la chair en petits morceaux.

Passez la soupe au mixeur, remettez-la dans l'autocuiseur, ajoutez les morceaux de viande et faites réchauffer doucement. Versez dans la soupière et saupoudrez de persil.

Pour 4 à 6 personnes

Soupe au collier d'agneau

500 g de collier d'agneau en tranches
500 g de poireaux coupés fin
500 g de pommes de terre en tranches fines
60 cl d'eau
sel et poivre
60 cl de lait
2 cuillères à soupe de persil haché

Mettez la viande dans l'autocuiseur. Ajoutez les poireaux, les pommes de terre, l'eau, salez et poivrez.

Vissez le couvercle et comptez 20 minutes de cuisson après le premier jet de vapeur. Soulevez la soupape pour que la vapeur s'échappe, puis dévissez le couvercle.

Désossez la viande. Remettez-la dans la soupe, ajoutez le lait et le persil. Vérifiez l'assaisonnement et servez chaud.

Pour 4 à 6 personnes

Soupe au céleri

25 g de beurre
1 oignon haché
1 cœur de céleri coupé fin
60 cl de bouillon ou d'eau
1 pincée de thym
sel et poivre
2 cuillères à café de maïzena
60 cl de lait
130 g de gruyère râpé
3-4 cuillères à soupe de yaourt nature
feuilles de céleri pour décorer

Faites fondre le beurre dans l'autocuiseur et faites revenir doucement l'oignon et le céleri. Quand ils sont transparents, ajoutez le bouillon, le thym, salez et poivrez.

Fermez l'autocuiseur et comptez 10 minutes de cuisson. Faites partir la pression.

Délayez la maïzena dans un peu de lait. Versez le reste du lait dans la soupe, portez à ébullition et ajoutez la maïzena, reportez à ébullition. Laissez cuire, tout en tournant, jusqu'à ce que cela épaississe.

Ajoutez le fromage et le yaourt, versez dans une soupière chaude, décoré avec les feuilles de céleri.

Pour 4 à 6 personnes

Soupe aux carottes

25 g de beurre
1 oignon coupé fin
1 gousse d'ail écrasée
1 pomme de terre coupée fin
750 g de carottes coupées en rondelles
1 cuillère à café de concentré de tomates
le zeste râpé et le jus de 2 oranges
1,2 l de bouillon de poule
sel et poivre
4-6 cuillères à soupe de crème fraîche pour servir

Faites fondre le beurre dans l'autocuiseur et faites revenir doucement l'oignon et l'ail. Ajoutez le reste des ingrédients, sauf le zeste d'orange. Salez et poivrez.

Vissez le couvercle et comptez 5 minutes de cuisson après le premier jet de vapeur. Faites partir la pression et ouvrez.

Passez la soupe au mixeur, puis remettez-la dans l'autocuiseur, ajoutez le zeste d'orange et laissez réchauffer doucement. Versez dans des bols individuels et posez au centre 1 cuillère de crème.

Pour 4 à 6 personnes

Soupe de poissons

1 carotte coupée en rondelles
1 branche de céleri
1 pincée d'herbes de Provence
2 cuillères à soupe de jus de citron
60 cl d'eau
sel et poivre
parures de poisson (arêtes, têtes, peau, etc.) (facultatif)
180 g de cabillaud
1 oignon coupé fin
15 cl de vin blanc sec
2 tomates pelées et hachées
2 cuillères à soupe de persil haché

Mettez la carotte, le céleri, les herbes, le jus de citron, l'eau et les déchets de poisson dans l'autocuiseur, salez et poivrez.

Vissez le couvercle et comptez 10 minutes de cuisson après le premier jet de vapeur. Faites partir la pression et ouvrez.

Passez le liquide et remettez-le dans l'autocuiseur. Ajoutez le poisson, l'oignon et le vin. Vissez le couvercle et laissez cuire 5 minutes. Faites partir la vapeur et ouvrez.

Émiettez le poisson avec une fourchette. Ajoutez les tomates et le persil, puis portez à ébullition. Rectifiez l'assaisonnement et servez chaud.

Pour 4 à 6 personnes

Pâté campagnard

4 tranches de lard fumé découennées
350 g de porc maigre haché
250 g de foies de volaille hachés
1 oignon haché
1 gousse d'ail écrasée
1 œuf battu
1 pincée d'herbes de Provence
4 cuillères à soupe de chapelure
sel et poivre

Aplatissez avec le dos d'un couteau les tranches de lard et disposez-les au fond d'un moule à pâté.

Mélangez le reste des ingrédients, salez et poivrez. Disposez ce mélange dans le moule, couvrez-le d'une feuille de papier aluminium et posez-le sur un trépied dans l'autocuiseur ; versez au fond 60 cl d'eau.

Vissez le couvercle et comptez 30 minutes de cuisson après le premier jet de vapeur. Dévissez le couvercle.

Posez un poids sur le pâté et laissez-le ainsi jusqu'à ce qu'il soit refroidi. Démoulez et servez.

Pour 4 à 6 personnes

Travers de porc à la chinoise

1,5 kg de travers de porc
1 boîte (400 g) de tomates
1 boîte (230 g) d'ananas en morceaux
1 cuillère à soupe de sauce soja
3 cuillères à soupe de vinaigre
1 cuillère à soupe de miel
2 cuillères à soupe de sucre roux
1 pincée de cannelle

Coupez le travers en morceaux. Mettez dans l'autocuiseur les tomates, l'ananas et leurs jus, la sauce soja, le vinaigre, le miel, mélangez bien. Ajoutez le porc et laissez mariner 1 à 2 heures.

Vissez le couvercle et comptez 15 minutes de cuisson après le premier jet de vapeur. Dévissez le couvercle.

Posez les morceaux de travers sur une grille et tenez la sauce au chaud.

Mélangez le sucre roux et la cannelle, saupoudrez-en le travers. Faites dorer sous le gril, puis servez chaud avec la sauce.

Pour 4 à 6 personnes

Salade de thon

250 g de fèves ou de gros haricots blancs frais
60 cl d'eau
sel et poivre
1 boîte (200 g) de thon à l'huile
2 cuillères à soupe d'huile d'olive
3 cuillères à soupe de vinaigre de vin
1 cuillère à café de moutarde
1 oignon coupé fin
12-14 olives noires, dénoyautées et coupées en deux
1 cuillère à soupe de persil haché
feuilles de laitue

Mettez les fèves dans l'autocuiseur avec l'eau et une pincée de sel.

Vissez le couvercle et comptez 20 minutes de cuisson après le premier jet de vapeur. Dévissez le couvercle. Dans une jatte, mélangez l'huile du thon avec l'huile d'olive, le vinaigre et la moutarde, salez et poivrez.

Égouttez les fèves et incorporez-les à la sauce encore chaude. Ajoutez le thon, l'oignon, les olives et le persil.

Disposez les feuilles de laitue sur le plat de service et empilez la salade de thon au centre.

Pour 4 personnes

Macaroni du pêcheur

1,2 l d'eau
1 cuillère à soupe d'huile
sel et poivre
250 g de macaroni
1 cuillère à soupe d'huile
200 g de haddock
200 g de filets de cabillaud
1 oignon
3 cuillères à soupe de vin blanc sec
1 boîte (300 g) de velouté de champignons non dilué
2 cuillères à soupe de persil haché
branches de persil pour décorer

Faites chauffer l'eau avec l'huile et une pincée de sel dans l'autocuiseur ; quand elle arrive à ébullition, jetez-y les macaroni, vissez le couvercle et comptez 5 minutes de cuisson à partir de la mise en rotation de la soupape. Réduisez la pression en soulevant celle-ci et égouttez les macaroni.

Huilez l'autocuiseur, ajoutez le poisson et l'oignon, salez et poivrez. Vissez le couvercle et comptez 5 minutes de cuisson. Réduisez la pression et dévissez le couvercle. Retirez le poisson.

Remettez les macaroni dans l'autocuiseur, ajoutez le vin et le velouté. Mélangez bien et portez à ébullition.

Émiettez le poisson et l'oignon, puis ajoutez-les dans l'autocuiseur avec le persil haché ; mélangez bien. Rectifiez l'assaisonnement, puis disposez le tout sur un plat de service chaud et décorez avec le persil.

Pour 4 personnes

Rillettes

30 cl d'eau
15 cl de bouillon
1 gousse d'ail coupée en deux
1 pincée de sauge
1 pincée de romarin
1 pincée de noix de muscade
350 g de porc maigre coupé en tranches
125 g de gras de porc coupé en lardons
sel et poivre
persil pour décorer

Mettez tous les ingrédients dans l'autocuiseur. Vissez le couvercle et comptez 35 minutes de cuisson après le premier jet de vapeur. Soulevez la soupape pour réduire la pression. Dévissez le couvercle.

Émiettez la viande dans sa sauce et répartissez ce mélange dans 4 ramequins individuels ; laissez refroidir et mettez à glacer au réfrigérateur avant de servir.

Décorez avec du persil et servez avec des toasts.

Pour 4 personnes

Rognons braisés

25 g de beurre
350 g de rognons de veau coupés en dés
2 tranches de lard fumé, découennées et hachées
1 oignon haché
6 cuillères à soupe d'eau
3 cuillères à soupe de madère
1 cuillère à soupe de concentré de tomates
sel et poivre
1 cuillère à café de maïzena
500 g de pommes de terre cuites, en purée
persil haché pour décorer

Faites fondre le beurre dans l'autocuiseur et faites revenir 2 minutes les rognons, le lard et l'oignon. Ajoutez 4 cuillères à soupe d'eau, le madère, le concentré de tomates, salez et poivrez.

Vissez le couvercle et comptez 7 minutes de cuisson après le premier jet de vapeur. Délayez la maïzena avec le reste d'eau et ajoutez-la à la sauce en tournant jusqu'à ce qu'elle épaississe.

Répartissez la purée autour de 4 plats à four ronds individuels, avec une poche à douille. Faites-la dorer sous le gril.

Répartissez au centre les rognons et leur sauce. Saupoudrez de persil haché.

Pour 4 personnes

Poivrons farcis

4 poivrons, rouges ou verts
250 g de bœuf cuit haché
4 cuillères à soupe de chapelure
1 oignon haché
2 cuillères à soupe de concentré de tomates
1 cuillère à soupe d'eau
50 g de gruyère râpé
sel et poivre
15 cl de bouillon de bœuf

Découpez un chapeau au sommet de chaque poivron contenant la queue ; ôtez cette dernière et mettez le chapeau de côté. Évidez les poivrons.

Mélangez le bœuf, la chapelure, l'oignon, le concentré de tomates, l'eau, le fromage, salez et poivrez. Garnissez les poivrons avec ce mélange et terminez par les chapeaux.

Posez les poivrons dans l'autocuiseur. Ajoutez le bouillon. Vissez le couvercle et laissez cuire 15 minutes après le premier jet de vapeur.

Disposez les poivrons sur un plat de service chaud et nappez-les avec le jus de la cocotte.

Pour 4 personnes

Ragoût d'agneau

1 kg de collier d'agneau
1 kg de pommes de terre coupées en deux
4 oignons, coupés en quatre
4 carottes, coupées en quatre
30 cl d'eau
sel et poivre
persil haché pour décorer

Mettez la viande dans l'autocuiseur. Posez dessus les légumes, versez l'eau, salez et poivrez.

Vissez le couvercle et comptez 20 minutes de cuisson après le premier jet de vapeur.

Rectifiez l'assaisonnement et disposez le tout sur un plat de service chaud et décorez avec du persil haché.

Pour 4 personnes

Goulasch à l'agneau

1 cuillère à soupe d'huile
1 kg de côtes d'agneau
2 oignons coupés en rondelles
1 gousse d'ail écrasée
2 cuillères à soupe de paprika
1 boîte (380 g) de tomates pelées, hachées
1 pincée de thym
1/2 cuillère à café de carvi
sel et poivre
15 cl de bouillon
1 cuillère à soupe de maïzena
15 cl de crème fraîche

Faites chaufer l'huile dans l'autocuiseur et faites dorer la viande. Ajoutez les oignons et l'ail, laissez-les revenir jusqu'à ce qu'ils soient transparents, puis ajoutez le paprika et mélangez bien.

Ajoutez les tomates et leur jus, le thym, le carvi, salez et poivrez. Versez le bouillon, sauf la valeur de 2 cuillères à soupe.

Vissez le couvercle et comptez 15 minutes de cuisson après le premier jet de vapeur.

Délayez la maïzena dans le reste de bouillon, incorporez-la à la sauce et portez à ébullition. Laissez cuire, tout en tournant, jusqu'à ce que cela épaississe. Ajoutez la crème et laissez réchauffer doucement. Rectifiez l'assaisonnement.

Disposez le tout sur un plat de service chaud, avec des pâtes.

Pour 4 personnes

Marmite de porc

25 g de beurre
4 côtes de porc
30 cl d'eau
1 cuillère à café de moutarde
2 cuillères à soupe de vinaigre
1 cuillère à café de carvi
sel et poivre
1 oignon coupé en rondelles
500 g de chou coupé gros
750 g de pommes de terre, coupées en tranches épaisses
persil haché pour décorer

Faites fondre le beurre dans l'autocuiseur et faites dorer les côtes des deux côtés. Ajoutez l'eau, la moutarde, le vinaigre, le carvi, salez et poivrez.

Vissez le couvercle et laissez cuire 12 minutes après le premier jet de vapeur.

Dévissez le couvercle et disposez en couches successives l'oignon, le chou et les pommes de terre sur le porc, en salant et poivrant abondamment chaque couche.

Refermez le couvercle et laissez cuire 3 minutes après le premier jet de vapeur.

Disposez l'ensemble sur un plat de service chaud et décorez avec du persil haché.

Pour 4 personnes

Côtes de porc à l'indienne

1 cuillère à soupe d'huile
4 côtes de porc
1 cuillère à soupe de miel
1 cuillère à soupe de chutney
2 cuillères à soupe de vinaigre
1 gousse d'ail écrasée
1 cuillère à café de cannelle
15 cl d'eau
1 boîte (300 g) de velouté de tomates concentré
sel et poivre
branches de cresson pour décorer

Faites chauffer l'huile dans l'autocuiseur et faites dorer les côtes des deux côtés ; retirez-les et tenez-les au chaud. Mettez le reste des ingrédients dans l'autocuiseur, salez, poivrez et remettez les côtes.

Vissez le couvercle et comptez 15 minutes de cuisson après le premier jet de vapeur.

Disposez le tout sur un plat de service chaud, décorez avec des branches de cresson et accompagnez de riz nature.

Pour 4 personnes

Porc à la sauge

25 g de beurre
4 morceaux de travers de porc
500 g d'oignons coupés en rondelles
1 cuillère à soupe de sauge sèche
30 cl de jus d'orange
sel et poivre
1 cuillère à soupe de maïzena, délayée dans 2 cuillères à soupe d'eau
1 orange coupée en rondelles pour décorer

Faites fondre le beurre dans l'autocuiseur et faites dorer les morceaux de porc de tous côtés. Ajoutez les oignons et laissez-les revenir 4 à 5 minutes. Ajoutez la sauge, le jus d'orange, salez et poivrez.

Vissez le couvercle et comptez 12 minutes de cuisson après le premier jet de vapeur.

Incorporez la maïzena à la sauce et portez à ébullition. Laissez cuire tout en tournant, jusqu'à ce que cela épaississe.

Disposez le tout sur un plat de service chaud et décorez avec les tranches d'orange.

Pour 4 personnes

Poitrine de bœuf braisée

1 cuillère à soupe d'huile
1 kg de poitrine de bœuf
2 oignons coupés en quatre
1 gousse d'ail écrasée
2 branches de céleri, coupées fin
4 carottes coupées en deux
1 petit navet, coupé en dés
1 poireau émincé
15 cl de vin rouge
15 cl d'eau
2 cuillères à soupe de concentré de tomates
1 pincée de thym
sel et poivre

Faites chauffer l'huile dans l'autocuiseur et faites dorer la viande de tous côtés. Retirez-la.

Faites revenir 2 minutes dans la cocotte l'oignon et l'ail. Ajoutez les autres légumes et posez dessus la viande.

Mélangez le vin avec l'eau, le concentré de tomates, le thym, salez et poivrez, puis versez le tout sur la viande.

Vissez le couvercle et comptez 40 minutes de cuisson après le premier jet de vapeur.

Disposez la viande et les légumes sur un plat de service chaud. Arrosez avec la sauce.

Pour 4 à 6 personnes

Ragoût de bœuf

1 cuillère à soupe d'huile
750 g de bœuf à braiser, coupé en cubes
2 oignons coupés en quatre
4 carottes coupées en rondelles
2 navets coupés en dés
35 cl de bouillon de bœuf
1 cuillère à soupe de concentré de tomates
sel et poivre
1 chou-fleur séparé en bouquets

Faites chauffer l'huile dans l'autocuiseur et faites dorer la viande de tous côtés. Ajoutez le reste des ingrédients, sauf le chou-fleur. Salez et poivrez.

Vissez le couvercle et comptez 16 minutes de cuisson après le premier jet de vapeur. Soulevez la soupape pour que toute la vapeur s'échappe, puis ouvrez.

Posez sur la viande les bouquets de chou-fleur, fermez le couvercle et comptez 5 minutes de cuisson.

Disposez le tout sur un plat de service chaud et décorez avec du persil.

Pour 4 personnes

Poule au pot

80 g de chapelure
4 tranches de lard demi-sel découennées et hachées
1 petit oignon haché
1 gousse d'ail écrasée
1 branche de thym
sel et poivre
1 œuf battu
1 poule de 1,25 kg
50 g de beurre
1/2 boule de céleri-rave coupé en gros morceaux
3 branches de céleri coupées fin
4 grosses carottes pelées et coupées en quatre
45 cl d'eau avec 1 bouillon-cube de poule
2 cuillères à soupe de maïzena

Mélangez la chapelure, le lard, l'oignon, l'ail, le thym, salez et poivrez. Liez le tout avec l'œuf, introduisez ce mélange à l'intérieur de la poule et fermez la cavité en la cousant avec de la ficelle de cuisine.

Faites chauffer le beurre dans l'autocuiseur et faites dorer la poule. Otez-la et faites revenir à leur tour les légumes. Retirez-les et mettez-les de côté.

Versez le bouillon et remettez la poule. Vissez le couvercle et comptez 20 minutes de cuisson après le premier jet de vapeur.

Dévissez le couvercle et mettez les légumes tout autour de la poule. Refermez l'autocuiseur et comptez 5 minutes de cuisson après le premier jet de vapeur. Disposez les légumes et la poule sur un plat de service et tenez-les au chaud.

Remettez l'autocuiseur sur le feu. Ajoutez la maïzena délayée dans un peu d'eau et laissez cuire tout en tournant jusqu'à ce que la sauce épaississe. Rectifiez l'assaisonnement et servez avec la poule.

Boulettes de viande à la sauce tomate

750 g de bœuf haché
1 oignon haché
50 g de riz long grain
1 pincée de cayenne
sel et poivre
1 œuf battu
1 cuillère à soupe d'huile
15 cl d'eau
1 boîte (300 g) de velouté de tomates condensé
persil pour décorer

Mélangez le bœuf, l'oignon, le riz, le cayenne, salez et poivrez. Liez ce mélange avec l'œuf, puis formez 8 à 12 morceaux auxquels vous donnerez la forme de boules.

Faites chauffer l'huile dans l'autocuiseur et faites dorer les boulettes. Mélangez l'eau et le velouté de tomates, puis versez-les sur les boulettes.

Vissez le couvercle et comptez 15 minutes de cuisson après le premier jet de vapeur.

Disposez le tout sur un plat de service chaud et décorez avec du persil. Accompagnez de pâtes.

Pour 4 personnes

Courge farcie

1 cuillère à soupe d'huile
350 g de bœuf haché
1 oignon haché
1 cuillère à soupe de concentré de tomates
1 cuillère à café de sauce Worcester
50 g de lentilles sèches
30 cl de bouillon de bœuf
sel et poivre
1 courge d'environ 750 g pelée, coupée en deux et évidée
25 g de beurre

Faites chauffer l'huile dans l'autocuiseur et faites dorer le bœuf et l'oignon. Ajoutez le concentré de tomates, la sauce Worcester, les lentilles, la moitié du bouillon, salez et poivrez. Portez à ébullition, sans cesser de tourner, puis baissez le feu et laissez mijoter 4 minutes.

Disposez ce mélange dans une moitié de courgette et recouvrez-la de l'autre moitié. Posez-la dans le panier dans l'autocuiseur et versez le reste du bouillon.

Vissez le couvercle et comptez 11 minutes de cuisson après le premier jet de vapeur.

Disposez la courge sur un plat de service chaud et versez dessus le jus de cuisson. Parsemez-la de petits morceaux de beurre et servez.

Pour 4 personnes

Bœuf en gelée

500 g de bœuf à ragoût, émincé en tranches fines
35 cl d'eau
1 kg de porc maigre
1 oignon coupé en deux
sel et poivre
1 pincée de quatre-épices
POUR GARNIR :
1 cuillère à soupe de raifort râpé
4 cuillères à soupe de crème fouettée non sucrée ou de yaourt nature

Mettez la viande, l'eau, le jarret de porc et l'oignon dans l'autocuiseur ; ajoutez le quatre-épices, salez et poivrez.

Vissez le couvercle et comptez 30 minutes de cuisson après le premier jet de vapeur.

Dévissez le couvercle et émiettez la viande de porc à la fourchette.

Versez le mélange dans une terrine et laissez refroidir complètement. Otez le gras qui se forme à la surface. Pour préparer la sauce, mélangez le raifort et la crème. Servez-la avec le bœuf. Accompagnez d'une salade verte.

Pour 4 personnes

Queue de bœuf en cocotte

1 cuillère à soupe d'huile
1 queue de bœuf coupée en morceaux
2 oignons émincés
2 carottes émincées
1 navet coupé en dés
2 branches de céleri coupées fin
1 pincée de thym
45 cl de bouillon de bœuf
15 cl de vin rouge
2 cuillères à soupe de concentré de tomates
sel et poivre
1 cuillère à soupe de jus de citron

Faites chauffer l'huile dans l'autocuiseur et faites dorer les morceaux de queue de bœuf et les oignons. Dégraissez. Ajoutez les légumes, le thym, le bouillon, le vin, le concentré de tomates, salez et poivrez.

Vissez le couvercle et comptez 45 minutes de cuisson après le premier jet de vapeur.

Rectifiez l'assaisonnement et ajoutez le jus de citron. Disposez dans un plat de service chaud.

Pour 4 personnes

NOTE : ce plat est meilleur si vous le préparez à l'avance, car vous pourrez le dégraisser quand il est froid. Vous n'aurez plus qu'à le faire réchauffer, juste avant de le servir.

Sauté aux rognons

1 cuillère à soupe d'huile
350 g de rognons coupés en dés
50 g de lard fumé découenné et coupé fin
2 oignons coupés en rondelles
2 branches de céleri coupées fin
125 g de petits champignons de Paris
125 g de saucisses de Toulouse
1 boîte (380 g) de tomates pelées
sel et poivre
1 cuillère à soupe de maïzena délayée dans 2 cuillères à soupe d'eau

Faites chauffer l'huile dans l'autocuiseur et faites dorer les rognons, les lardons et les oignons. Ajoutez le céleri, les champignons, les saucisses, les tomates et leur jus, salez et poivrez.

Vissez le couvercle et comptez 5 minutes de cuisson après le premier jet de vapeur.

Retirez les saucisses et coupez-les en trois morceaux, puis remettez-les dans l'autocuiseur.

Versez la maïzena, portez à ébullition et laissez cuire, tout en tournant, jusqu'à ce que la sauce épaississe. Rectifiez l'assaisonnement, puis servez sur un plat chaud.

Accompagnez de pâtes au beurre ou de riz nature.

Pour 4 personnes

Foie en cocotte

1 cuillère à soupe d'huile
500 g de foie d'agneau coupé en tranches
1 cuillère à soupe de farine
125 g de lard fumé, découenné et coupé en lardons
2 oignons coupés fin
30 cl de bouillon de bœuf
1 cuillère à soupe de concentré de tomates
sel et poivre
persil haché pour décorer

Faites chauffer l'huile dans l'autocuiseur. Passez le foie dans la farine et faites-le revenir 2-3 minutes de chaque côté dans l'huile ; retirez-le et mettez-le de côté.

Faites revenir doucement les lardons et les oignons dans l'huile. Ajoutez le bouillon, le concentré de tomates, salez et poivrez. Remettez le foie dans l'autocuiseur.

Vissez le couvercle et comptez 4 minutes de cuisson après le premier jet de vapeur.

Rectifiez l'assaisonnement, disposez sur un plat de service chaud et saupoudrez de persil haché.

Pour 4 personnes

Cœurs d'agneau farcis

4 cœurs d'agneau
125 g de lard fumé découenné et coupé en lardons
3 cuillères à soupe de chapelure
100 g de chair à saucisse
1 œuf battu
sel et poivre
60 cl de bouillon
1 oignon coupé en rondelles
1 cuillère à soupe de maïzena

Évidez la partie supérieure des cœurs.

Faites revenir les lardons dans leur graisse, dans une poêle, jusqu'à ce qu'ils soient dorés.

Mélangez le lard, la chapelure et la chair à saucisse dans une jatte, ajoutez l'œuf, salez et poivrez, puis répartissez ce mélange dans les cœurs.

Mettez ceux-ci dans l'autocuiseur et versez dessus le bouillon, sauf la valeur de 2 cuillères à soupe. Ajoutez l'oignon, vissez le couvercle et comptez 30 minutes de cuisson après le premier jet de vapeur.

Disposez les cœurs sur un plat de service et tenez-les au chaud.

Délayez la maïzena avec le reste de bouillon et versez-la dans la sauce, portez à ébullition et laissez cuire, tout en tournant, jusqu'à ce que cela épaississe. Nappez-en les cœurs.

Pour 4 personnes

Tripes

500 g de tripes coupées en morceaux de 2,5 cm
500 g d'oignons coupés en rondelles
125 g de lard fumé, découenné et coupé en lardons
30 cl de vin blanc sec
1 bouquet garni
sel et poivre
1 cuillère à soupe de maïzena, délayée dans 15 cl de lait
persil pour décorer

Mettez les tripes, les oignons, le lard, le vin, le bouquet garni, le sel et le poivre, dans l'autocuiseur.

Vissez le couvercle et comptez 20 minutes de cuisson après le premier jet de vapeur.

Versez la maïzena dans la sauce, portez à ébullition et laissez cuire, tout en tournant, jusqu'à ce que cela épaississe. Otez le bouquet garni et rectifiez l'assaisonnement.

Disposez dans un plat de service chaud et décorez avec du persil.

Pour 4 personnes

Poulet à la hongroise

25 g de beurre
4 portions de poulet
2 tranches de lard fumé, découenné et coupé en lardons
2 oignons coupés en quatre
1 boîte (380 g) de tomates pelées
10 cl de bouillon de poule
1 poivron rouge, évidé et émincé
1 cuillère à café de paprika
sel et poivre

Faites fondre le beurre dans l'autocuiseur et faites dorer les morceaux de poulet de tous côtés, puis faites revenir 3-4 minutes le lard et les oignons. Ajoutez les tomates et leur jus, le bouillon, le poivron rouge, le paprika, salez et poivrez.

Vissez le couvercle et comptez 7 minutes de cuisson après le premier jet de vapeur.

Disposez le poulet sur un plat de service chaud, posez dessus les légumes et nappez-le de sauce.

Pour 4 personnes

Poulet de Madras

1 cuillère à soupe d'huile
4 morceaux de poulet
1 oignon haché
1 gousse d'ail écrasée
1 pomme épluchée et coupée en tranches
1 pincée de cayenne (ou plus, à volonté)
1 cuillère à soupe de curry
1 cuillère à soupe de mango chutney
30 cl de bouillon de poule
1 banane coupée en rondelles fines

Faites chauffer l'huile dans l'autocuiseur et faites dorer les morceaux de poulet de tous côtés. Otez-les et tenez-les au chaud.

Faites revenir doucement 5 minutes dans l'autocuiseur l'oignon, l'ail, la pomme et le cayenne. Saupoudrez le curry et laissez cuire 1 à 2 minutes.

Ajoutez le chutney, le bouillon et remettez les morceaux de poulet. Vissez le couvercle et comptez 7 minutes de cuisson après le premier jet de vapeur.

Ajoutez les rondelles de banane, puis disposez le tout sur un plat de service chaud. Accompagnez de riz nature.

Pour 4 personnes

Poulet à la normande

25 g de beurre
1 poulet de 1,5 kg
30 cl de cidre
2 oignons coupés en quatre
2 pommes, pelées et coupées en quatre
sel et poivre
2 cuillères à soupe de maïzena délayée dans 4 cuillères à soupe d'eau
10 cl de crème fraîche

POUR DÉCORER :
25 g de beurre
2 pommes évidées et coupées en tranches
2 cuillères à soupe de jus de citron

Faites fondre le beurre dans l'autocuiseur et faites dorer le poulet. Ajoutez le cidre, les oignons, les pommes, salez et poivrez.

Vissez le couvercle et comptez 15 minutes de cuisson après le premier jet de vapeur. Retirez le poulet et tenez-le au chaud.

Passez le contenu de l'autocuiseur au mixeur, puis reportez la purée obtenue dans l'autocuiseur. Ajoutez la maïzena, portez à ébullition et laissez cuire, tout en tournant, jusqu'à ce que cela épaississe. Incorporez la crème et laissez chauffer doucement. Rectifiez l'assaisonnement.

Pour la garniture, faites fondre le beurre dans une poêle et faites revenir les pommes 1 minute de chaque côté. Versez dessus le jus de citron.

Découpez le poulet en morceaux et disposez-les sur un plat de service chaud. Nappez avec un peu de sauce et décorez avec les tranches de pommes. Servez le reste de sauce à part.

Pour 4 à 6 personnes

Lapin au céleri

4 morceaux de lapin
25 g de beurre
2 oignons coupés en rondelles
1 boîte (300 g) de crème de céleri condensée
3 cuillères à café de moutarde
1 pincée de sauge
125 g de champignons de Paris émincés
POUR DÉCORER :
4 tranches de lard fumé découennées

Faites fondre le beurre dans l'autocuiseur et faites dorer les morceaux de lapin et les oignons. Ajoutez le reste des ingrédients.

Vissez le couvercle et comptez 17 minutes de cuisson après le premier jet de vapeur.

Faites revenir le lard dans sa propre graisse jusqu'à ce qu'il soit croustillant. Disposez le lapin sur un plat de service, nappez-le de sauce et décorez avec les tranches de lard.

Pour 4 personnes

Pâtes en sauce

250 g de coquillettes
1,75 l d'eau bouillante
1 cuillère à soupe d'huile
sel et poivre
SAUCE :
1 cuillère à soupe d'huile d'olive
1 oignon haché
1 gousse d'ail écrasée
350 g de lard maigre haché
15 cl d'eau
500 g de tomates pelées et coupées en quartiers
1 cuillère à soupe de maïzena
POUR SERVIR :
persil haché
parmesan râpé

Mettez les pâtes, l'eau, l'huile et 1 cuillère à café de sel dans l'autocuiseur, puis portez à ébullition. Vissez le couvercle et comptez 4 minutes de cuisson après le premier jet de vapeur. Égouttez les pâtes et nettoyez l'autocuiseur.

Pour la sauce, faites revenir doucement dans l'huile, dans l'autocuiseur, l'oignon, l'ail et le lard, 5 minutes. Ajoutez l'eau, sauf 2 cuillères à soupe, salez et poivrez. Vissez le couvercle et comptez 5 minutes de cuisson après le premier jet de vapeur.

Ajoutez les tomates et portez à ébullition. Délayez la maïzena avec le reste d'eau, versez-la dans la sauce et laissez cuire tout en tournant, jusqu'à ce que cela épaississe. Remettez les pâtes et laissez encore 4 minutes.

Disposez le tout sur un plat de service chaud et saupoudrez de persil. Accompagnez de parmesan râpé.

Pour 4 personnes

Cabillaud à la provençale

1 cuillère à soupe d'huile d'olive
1 oignon coupé en rondelles
1 gousse d'ail écrasée
1 poivron vert évidé, épépiné et coupé en lamelles
15 cl d'eau
1 cuillère à soupe de concentré de tomates
3-4 tomates, pelées et coupées en quatre
750 g de filets de cabillaud coupés en quatre morceaux
sel et poivre
3-4 olives farcies pour décorer

Faites chauffer l'huile dans la cocotte et faites revenir doucement l'oignon et l'ail. Ajoutez le poivron vert et laissez encore revenir 2 minutes. Ajoutez l'eau, le concentré de tomate et les tomates. Posez le poisson dessus, salez et poivrez.

Vissez le couvercle et comptez 4 minutes de cuisson après le premier jet de vapeur.

Disposez le tout sur un plat de service chaud et décorez avec les olives.

Pour 4 personnes

Poisson parmentier

750 g de pommes de terre râpées
1 œuf
4 cuillères à soupe de lait
250 g de filets de cabillaud coupés en dés
50 g de chapelure
1 oignon haché
1 tomate hachée
2 cuillères à soupe de persil haché
125 g de gruyère râpé
sel et poivre
muscade râpée
25 g de beurre
branches de persil pour décorer

Rincez les pommes de terre à l'eau froide et égouttez-les.

Battez l'œuf et le lait dans une jatte. Ajoutez le poisson, la chapelure, l'oignon, la tomate, le persil, le gruyère, les pommes de terre, la muscade, salez, poivrez et mélangez bien.

Passez ce mélange dans une cocotte beurrée et couvrez de papier aluminium. Posez-la sur un trépied dans l'autocuiseur et versez 1,2 l d'eau bouillante.

Fermez l'autocuiseur, sans visser le couvercle et laissez cuire 20 minutes, puis vissez et comptez 30 minutes de cuisson après le premier jet de vapeur.

Otez le papier aluminium et passez la terrine sous le gril, jusqu'à ce que la surface soit bien dorée. Servez aussitôt avec du persil pour décorer.

Pour 4 personnes

Maquereaux marinés

4 maquereaux vidés, la tête coupée
1 cuillère à café de fenouil moulu
60 cl d'eau
3 cuillères à soupe de vinaigre
1 oignon coupé fin
1 piment rouge pour décorer (facultatif)

Incisez la peau des maquereaux et mettez-les dans l'autocuiseur. Ajoutez les autres ingrédients.

Vissez le couvercle et comptez 4 minutes de cuisson après le premier jet de vapeur.

Laissez refroidir les maquereaux dans la cocotte, puis disposez-les sur un plat de service ; décorez avec le piment rouge.

Pour 4 personnes

Chou rouge à l'autrichienne

- *1 cuillère à soupe d'huile*
- *1 oignon coupé en rondelles*
- *1 pomme pelée, évidée et coupée en tranches*
- *2 cuillères à soupe de vinaigre*
- *7 cuillères à soupe d'eau*
- *4 clous de girofle*
- *1/2 cuillère à café de carvi*
- *1 chou rouge coupé en lanières*

Faites chauffer l'huile dans l'autocuiseur et faites revenir 2-3 minutes l'oignon. Ajoutez le reste des ingrédients.

Vissez le couvercle et comptez 4 minutes de cuisson après le premier jet de vapeur.

Tournez bien et disposez sur un plat de service chaud.

Pour 4 personnes

Céleri à la napolitaine

1 cuillère à soupe d'huile
50 g de spaghetti en morceaux
1 oignon coupé en rondelles
1 boîte (380 g) de tomates pelées
7 cuillères à soupe d'eau
sel et poivre
750 g de céleri-branche coupé en morceaux
150 g de gruyère râpé
2-3 cuillères à soupe de thym

Faites chauffer l'huile dans l'autocuiseur, ajoutez les spaghetti et tournez-les jusqu'à ce qu'ils soient bien nappés d'huile. Ajoutez l'oignon, les tomates et leur jus, l'eau. Salez, poivrez, puis ajoutez le céleri.

Vissez le couvercle et comptez 6 minutes de cuisson après le premier jet de vapeur.

Ajoutez le fromage et le thym, puis disposez le tout sur un plat de service chaud et servez aussitôt.

Pour 4 personnes

Haricots style western

250 g de haricots blancs secs
1 boîte (380 g) de tomates pelées
1 oignon coupé fin
1 cuillère à café de moutarde
1 cuillère à soupe de sucre
125 g de porc salé coupé fin
1 cuillère à soupe de concentré de tomates
30 cl d'eau
sel et poivre
1 cuillère à soupe de maïzena

Versez les haricots dans une jatte, couvrez-les d'eau bouillante et laissez-les tremper 30 minutes ; égouttez-les.

Mettez les haricots, les tomates et leur jus, l'oignon, la moutarde, le sucre, le porc et le concentré de tomates dans l'autocuiseur. Versez l'eau sauf la valeur de 2 cuillères à soupe, salez et poivrez, mélangez bien.

Vissez le couvercle et comptez 20 minutes de cuisson à partir de la mise en rotation de la soupape.

Délayez la maïzena avec le reste d'eau et ajoutez-la au mélange. Laissez cuire, tout en tournant, jusqu'à ce que cela épaississe.

Disposez le tout sur un plat de service chaud et servez.

Pour 4 personnes

Feuilles de chou farcies

8 grandes feuilles de chou
25 g de beurre
1 oignon haché
350 g de haddock coupé fin
80 g de riz long grain
1 cuillère à soupe de persil haché
80 g de gruyère râpé
sel et poivre
15 cl d'eau
1 boîte (300 g) de velouté de tomates concentré

Plongez les feuilles de chou 2 minutes dans de l'eau bouillante ; égouttez-les.

Faites fondre le beurre dans l'autocuiseur et faites revenir l'oignon 2-3 minutes. Ajoutez le haddock, le riz, le persil, le fromage, salez et poivrez, mélangez bien.

Répartissez ce mélange sur les feuilles de chou, roulez-les et pliez-les pour obtenir de petits paquets. Posez-les, le côté plié sur le fond, dans l'autocuiseur. Mélangez l'eau et le velouté, et versez sur les feuilles de chou.

Vissez le couvercle et comptez 6 minutes de cuisson après le premier jet de vapeur.

Disposez le tout sur un plat de service et servez aussitôt.

Pour 4 personnes

Haricots en sauce barbecue

250 g de haricots rouges secs
15 cl de bouillon
1 boîte (300 g) de velouté de tomates concentré
1 pincée de quatre-épices
1 pincée de gingembre râpé
1 gousse d'ail écrasée
1 cuillère à café de moutarde
2 cuillères à soupe de vinaigre
2 cuillères à soupe de sauce Worcester
2 cuillères à soupe de chutney
1 pincée de romarin

Dans une jatte couvrez les haricots d'eau bouillante et laissez-les tremper 30 minutes. Égouttez-les et mettez-les dans l'autocuiseur. Ajoutez le reste des ingrédients et mélangez bien.

Vissez le couvercle et comptez 20 minutes de cuisson après le premier jet de vapeur.

Tournez bien avant de disposer le tout dans un plat de service chaud. Servez aussitôt.

Pour 4 personnes

Oignons farcis

4 gros oignons pelés
30 cl de bouillon
250 g de lard fumé haché
1/2 cuillère à café de moutarde
1 pomme pelée, évidée et râpée
2 cuillères à soupe de crème fraîche
4 cuillères à soupe de chapelure
sel et poivre

Mettez les oignons et le bouillon dans l'autocuiseur, vissez le couvercle et comptez 3 minutes de cuisson après le premier jet de vapeur.

Retirez les oignons, évidez-en l'intérieur que vous hacherez. Mettez les oignons de côté.

Placez le lard et l'oignon haché dans une casserole, laissez chauffer doucement jusqu'à ce que le gras du lard sorte. Augmentez légèrement le feu et laissez cuire jusqu'à ce que l'oignon soit transparent. Ajoutez le reste des ingrédients, salez, poivrez et mélangez bien.

Répartissez ce mélange dans les oignons évidés et mettez-les dans l'autocuiseur.

Vissez le couvercle et comptez 12 minutes de cuisson après le premier jet de vapeur.

Disposez les oignons sur un plat de service chaud et nappez-les de sauce. Servez chaud.

Pour 4 personnes

Courge à la tomate

25 g de beurre
80 g de chapelure
50 g de gruyère râpé
1 pincée de thym
1 cuillère à soupe d'huile
1 gros oignon coupé fin
1 gousse d'ail écrasée
1 courge pelée, épépinée et coupée en dés
350 g de tomates pelées et coupées en quatre
7 cuillères à soupe d'eau
sel et poivre
1 cuillère à soupe de maïzena
rondelles de tomate pour décorer

Faites fondre le beurre dans l'autocuiseur et faites dorer la chapelure, en tournant constamment. Mettez-la dans une jatte, ajoutez-lui le fromage et le thym, et laissez de côté.

Lavez l'autocuiseur et faites-y chauffer l'huile. Faites revenir doucement 2-3 minutes l'oignon et l'ail. Ajoutez la courge, les tomates, 2 cuillères à soupe d'eau, salez et poivrez. Mélangez bien.

Vissez le couvercle et comptez 2 minutes de cuisson après le premier jet de vapeur.

Délayez la maïzena avec le reste d'eau et ajoutez-la à la sauce. Laissez cuire, tout en tournant, jusqu'à ce que cela épaississe.

Disposez le tout dans un plat allant au four, répartissez dessus la chapelure et faites dorer sous le gril. Servez aussitôt, après avoir posé au centre les rondelles de tomate.

Pour 4 à 6 personnes

Lentilles à l'indienne

1 cuillère à soupe d'huile
1 oignon coupé fin
1 gousse d'ail écrasée
1/4 cuillère à café de cayenne
1 cuillère à café de cumin moulu
1 cuillère à café de curcuma
250 g de lentilles
60 cl d'eau
sel et poivre
3 cuillères à soupe de yaourt nature
1 cuillère à soupe de mango chutney

Faites chauffer l'huile dans l'autocuiseur et faites revenir doucement l'oignon et l'ail, jusqu'à ce qu'ils soient transparents. Ajoutez les épices et laissez cuire 3 minutes. Ajoutez les lentilles, l'eau, salez et poivrez.

Vissez le couvercle et comptez 7 minutes de cuisson après le premier jet de vapeur.

Ajoutez le yaourt, le chutney et mélangez bien. Disposez sur un plat de service chaud et servez aussitôt.

Pour 4 personnes

Raves en purée

750 g de raves
coupées en dés
30 cl d'eau
sel et poivre
50 g de beurre
3 cuillères à soupe
de crème fraîche
2 cuillères à soupe
de persil haché
persil pour décorer

Mettez les raves et l'eau dans l'autocuiseur, salez et poivrez.

Vissez le couvercle et comptez 4 minutes de cuisson après le premier jet de vapeur.

Égouttez les raves et réduisez-les en purée. Ajoutez en fouettant le reste des ingrédients et rectifiez l'assaisonnement. Disposez sur un plat de service chaud, décorez avec du persil et servez aussitôt.

Pour 4 personnes

Risotto

250 g de riz
sel et poivre
1 l d'eau
1 oignon haché
1 poivron vert, évidé et coupé fin
3 branches de céleri coupé fin
80 g de beurre
3 cuillères à soupe de Parmesan râpé
2 cuillères à soupe de persil haché
50 g de cacahuètes salées hachées
persil haché pour décorer

Mettez le riz avec 1 pincée de sel et 75 cl d'eau dans l'autocuiseur.

Vissez le couvercle et comptez 9 minutes de cuisson après le premier jet de vapeur.

Égouttez et rincez le riz, puis remettez-le dans l'autocuiseur. Ajoutez les autres légumes, le reste d'eau, salez et poivrez.

Vissez le couvercle et comptez 4 minutes de cuisson.

Ajoutez le reste des ingrédients, puis disposez le tout sur un plat de service chaud. Saupoudrez de persil haché et servez aussitôt.

Pour 4 personnes

Purée aux quatre légumes

1 kg de pommes de terre coupées en deux
2 carottes coupées en rondelles épaisses
1 navet coupé en quatre
1 oignon coupé en deux
15 cl d'eau
sel et poivre
2 cuillères à soupe de lait en poudre
80 g de beurre
POUR COUVRIR :
125 g de gruyère râpé
3 cuillères à soupe de chapelure
persil pour décorer

Mettez les légumes, l'eau, le sel et le poivre dans l'autocuiseur.

Vissez le couvercle et comptez 5 minutes de cuisson après le premier jet de vapeur.

Passez le liquide de cuisson et prenez-en la valeur de 3 cuillères à soupe pour délayer le lait en poudre. Écrasez les légumes en purée, ajoutez-leur le lait, le beurre et rectifiez l'assaisonnement.

Étalez la purée dans un plat à four et saupoudrez dessus le fromage et la chapelure. Passez sous le gril ; quand le dessus est doré, décorez avec du persil et servez aussitôt.

Pour 4 à 6 personnes

Petits pois en purée

300 g de petits pois
60 cl d'eau
1-2 os de jambon
1 oignon haché
sel et poivre
2 œufs
50 g de beurre

Mettez les petits pois, l'eau, les os, l'oignon, le sel et le poivre dans l'autocuiseur.

Vissez le couvercle et comptez 9 minutes de cuisson après le premier jet de vapeur.

Otez les os et réduisez les petits pois en purée, ajoutez en fouettant les œufs et le beurre, rectifiez l'assaisonnement. Disposez le mélange dans une jatte beurrée et couvrez d'une feuille d'aluminium.

Lavez l'autocuiseur, recouvrez le fond d'eau et placez la jatte dans le panier.

Vissez le couvercle et comptez 7 minutes de cuisson après le premier jet de vapeur.

Démoulez la jatte sur un plat de service chaud.

Pour 4 à 6 personnes

Betterave rouge à la suédoise

500 g de betterave rouge fraîche
3 cuillères à soupe de jus d'orange
3 cuillères à soupe de vinaigre
2 cuillères à soupe de sucre roux
1 cuillère à café de maïzena, délayée dans 2 cuillères à soupe d'eau

Mettez les betteraves dans l'autocuiseur et ajoutez de l'eau (environ 2,5 cm de hauteur).

Vissez le couvercle et comptez 15 à 20 minutes de cuisson (30 minutes pour une très grosse betterave).

Pelez et coupez en dés. Versez le jus d'orange, le vinaigre et le sucre dans l'autocuiseur rincé et faites chauffer. Quand le liquide frémit, versez-y la maïzena et portez à ébullition. Tournez jusqu'à ce que cela épaississe.

Ajoutez la betterave et laissez réchauffer tout en tournant. Disposez sur un plat de service et servez aussitôt.

Pour 4 personnes

Curry de légumes

1 cuillère à soupe d'huile
2 cuillères à soupe de curry
30 cl d'eau
sel et poivre
1 oignon coupé en quatre
500 g de carottes en rondelles
500 g de pommes de terre en rondelles
3-4 branches de céleri en rondelles
3-4 courgettes en rondelles
1 petit chou-fleur en bouquets
125 g de champignons de Paris
70 g de petits pois
4 tomates coupées en quatre
4 cuillères à soupe de yaourt nature

Faites chauffer l'huile dans l'autocuiseur, ajoutez le curry et laissez cuire 3 minutes. Laissez refroidir légèrement et ajoutez l'eau. Salez, poivrez et ajoutez le reste des ingrédients, sauf les tomates et le yaourt.

Vissez le couvercle et comptez 6 minutes de cuisson après le premier jet de vapeur.

Ajoutez les tomates et le yaourt, laissez réchauffer doucement, sans bouillir. Vérifiez l'assaisonnement et disposez sur un plat de service chaud. Servez avec du riz nature.

Pour 4 à 6 personnes

Lentilles aux légumes

250 g de lentilles
60 cl de bouillon
1 oignon coupé fin
2 branches de céleri coupées fin
2 tomates pelées et coupées fin
1 cuillère à soupe de concentré de tomates
sel et poivre
persil haché pour décorer

Mettez tous les ingrédients dans l'autocuiseur et mélangez bien.

Vissez le couvercle et comptez 7 minutes de cuisson après le premier jet de vapeur.

Tournez le mélange, vérifiez l'assaisonnement et disposez sur un plat de service chaud. Saupoudrez de persil haché.

Ce plat accompagne bien du porc ou du poulet.

Pour 4 personnes

Salade de haricots au salami

125 g de haricots rouges secs
125 g de pois chiches
125 g de haricots blancs secs
sel et poivre
6-8 cuillères à soupe de vinaigrette
3 cuillères à soupe de persil haché
1 oignon haché
125 g de salami coupé en petits morceaux

Mettez les haricots rouges dans une jatte ; mettez les pois chiches et les haricots blancs dans une autre jatte. Couvrez d'eau bouillante et laissez tremper 30 minutes ; égouttez.

Placez les haricots et les pois chiches dans un panier, dans l'autocuiseur, couvrez d'eau. Salez.

Vissez le couvercle et comptez 20 minutes de cuisson après le premier jet de vapeur.

Égouttez les haricots et les pois chiches et mélangez-les dans une jatte avec la vinaigrette tant qu'ils sont encore chauds. Laissez refroidir.

Ajoutez le reste des ingrédients, rectifiez l'assaisonnement, mélangez bien avant de servir.

Pour 4 à 6 personnes

Pommes au miel et aux abricots

180 g d'abricots secs
750 g de pommes épluchées et coupées en quatre
15 cl d'eau
1 cuillère à soupe de miel
1 cuillère à soupe de confiture d'oranges
2-3 cuillères à soupe de jus d'orange frais

Faites tremper les abricots 10 minutes dans l'eau froide. Égouttez-les.

Mettez tous les ingrédients dans l'autocuiseur et mélangez bien.

Vissez le couvercle et comptez 2 minutes de cuisson après le premier jet de vapeur.

Disposez dans une jatte et servez chaud avec un peu de crème fouettée.

Pour 4 à 6 personnes

Riz aux framboises

50 g de beurre
60 cl de lait
80 g de riz
125 g de sucre
350 g de framboises congelées, décongelées
1 cuillère à soupe de noisettes (facultatif)

Faites fondre le beurre dans l'autocuiseur et tournez-le jusqu'à ce qu'il couvre le fond et les côtés de la cocotte. Ajoutez le lait et portez à ébullition. Ajoutez le riz, la moitié du sucre, et portez à nouveau à ébullition, tout en tournant. Baissez le feu.

Vissez le couvercle et laissez cuire 12 minutes après le premier jet de vapeur.

Pour la sauce, réduisez les framboises en purée avec le reste de sucre.

Pour servir chaud, versez le riz dans un plat allant au four, passez-le sous le gril pour qu'il soit légèrement doré, servez la sauce à part.

Pour servir froid, versez le riz dans un plat, laissez-le refroidir, puis ajoutez dessus la sauce et les noisettes.

Pour 4 à 6 personnes

Crème caramel

180 g de sucre
15 cl d'eau
60 cl de lait
1 gousse de vanille
3 gros œufs battus

Mettez 125 g de sucre et l'eau dans une casserole, faites chauffer doucement en tournant jusqu'à ce que le sucre soit dissous. Portez à ébullition et laissez caraméliser.

Répartissez ce liquide dans 4 moules individuels, en tournant afin que le caramel s'étale sur tous les bords.

Faites tiédir dans une casserole le lait, le reste du sucre et la gousse de vanille. Otez la vanille et versez le lait sur les œufs en battant légèrement. Versez dans les moules et couvrez de papier aluminium.

Posez les moules dans le panier dans l'autocuiseur et versez au fond 30 cl d'eau.

Vissez le couvercle et comptez 3 minutes de cuisson après le premier jet de vapeur.

Laissez complètement refroidir dans l'autocuiseur. Démoulez sur une assiette avant de servir.

Pour 4 personnes

Gâteau au café et à l'orange

1 orange coupée en tranches fines
2 cuillères à soupe de confiture d'oranges
125 g de farine
1 paquet de levure chimique
125 g de beurre ramolli
125 g de sucre en poudre
2 œufs
2 cuillères à soupe d'extrait de café

Disposez les tranches d'orange au fond d'un moule à gâteau de 20 cm de diamètre beurré et étalez dessus la confiture.

Tamisez la farine et la levure dans une jatte, ajoutez le reste des ingrédients et battez au fouet électrique 1 minute. Versez la pâte sur la confiture et lissez la surface. Couvrez de papier aluminium et faites une incision au centre. Versez 60 cl d'eau dans l'autocuiseur et posez le moule sur un trépied.

Fermez l'autocuiseur et comptez 35 minutes de cuisson après le premier jet de vapeur.

Laissez refroidir le gâteau 10 minutes dans le moule, puis démoulez-le sur un plat de service chaud. Servez-le aussitôt, avec de la crème.

Pour 6 personnes

Pudding au pain et à l'orange

6 larges tranches de pain de campagne
40 g de beurre
2 cuillères à soupe de confiture d'oranges
un peu de beurre pour beurrer le moule
le zeste de 2 oranges râpé fin
1 pincée de cannelle
3 cuillères à soupe de sucre roux
2 gros œufs
30 cl de lait
30 cl d'eau

Retirez la croûte du pain et étalez sur chaque tranche du beurre et de la confiture. Coupez-les en diagonale, en quatre morceaux.

Beurrez un moule, pouvant aller dans l'autocuiseur, et disposez-y la moitié des tranches de pain que vous saupoudrez de la moitié des zestes et de cannelle, et de 1 cuillère à soupe de sucre roux. Recommencez cette opération avec le reste de pain, de zestes, de la cannelle et du sucre roux.

Battez les œufs et le lait, et versez-les sur le pain. Laissez ainsi 5 minutes, puis pressez légèrement le pain dans le liquide. Couvrez de papier aluminium beurré. Versez l'eau dans l'autocuiseur et posez le moule sur un trépied. Vissez le couvercle et comptez 5 minutes de cuisson après le premier jet de vapeur.

Retirez le moule, ôtez le papier aluminium et saupoudrez le reste de sucre roux, puis passez le tout rapidement sous le gril pour que cela dore.

Pour 4 à 6 personnes

Génoise

125 g de farine tamisée avec 1 paquet de levure chimique
125 g de beurre
125 g de sucre en poudre
2 œufs
1 cuillère à soupe d'eau

Battez au fouet électrique 1 minute tous les ingrédients. Versez dans un moule et lissez la surface.

Couvrez de papier aluminium, faites une fente au centre. Posez le moule sur un trépied dans l'autocuiseur et versez au fond 1,75 l d'eau bouillante. Couvrez et laissez cuire 20 minutes, puis vissez le couvercle et comptez 30 minutes après le premier jet de vapeur. Démoulez sur un plat et servez avec une crème anglaise.

Pour 4 à 6 personnes

Gâteau aux poires

125 g de beurre
2 cuillères à café de cannelle
8 cerises confites
2 poires à dessert, pelées, coupées en deux et évidées
100 g de sucre en poudre
2 œufs
80 g de farine additionnée d'1/2 paquet de levure chimique
25 g de cacao en poudre
90 cl d'eau bouillante

Faites fondre 25 g de beurre dans un moule à soufflé, afin de graisser le fond et les côtés. Saupoudrez-y la cannelle. Posez une cerise au centre de chaque poire et disposez celles-ci au fond du moule, le côté coupé reposant sur le fond. Répartissez le reste des cerises entre chaque poire.

Travaillez le beurre et le sucre jusqu'à ce qu'ils forment un mélange blanc et crémeux. Incorporez en battant les œufs, un à un. Incorporez la farine, puis le cacao, et versez délicatement ce mélange sur les poires. Lissez la surface de la pâte. Couvrez de papier aluminium beurré.

Faites bouillir l'eau dans l'autocuiseur et posez le moule sur un trépied. Posez le couvercle et laissez cuire ainsi 15 minutes, puis vissez le couvercle et comptez 30 minutes de cuisson après le premier jet de vapeur.

Démoulez sur un plat de service et servez avec une sauce au chocolat chaude ou de la crème fouettée.

Pour 4 personnes

Dessert au café et au rhum

3 gros œufs battus
25 g de sucre en poudre
1-2 cuillères à soupe de rhum
1 cuillère à soupe de café instantané avec 2 cuillères à soupe d'eau, refroidi
45 cl de lait
4 cuillères à soupe de crème fraîche
un peu de beurre pour graisser le plat
30 cl d'eau
POUR TERMINER :
15 cl de crème fouettée
1 cuillère à soupe de chocolat râpé

Battez ensemble les œufs, le sucre, le rhum et le café. Faites chauffer le lait et la crème fraîche sans bouillir. Incorporez-les au mélange précédent en tournant rapidement.

Beurrez un moule à soufflé, puis versez-y le mélange. Couvrez de papier aluminium beurré.

Versez l'eau au fond de l'autocuiseur, et posez le moule sur un trépied. Vissez le couvercle et comptez 5 minutes de cuisson après le premier jet de vapeur.

Retirez le moule de l'autocuiseur et enlevez le papier aluminium délicatement. Laissez refroidir complètement, puis mettez à glacer au réfrigérateur au moins 1 heure avant de servir. Décorez avec de la crème fouettée et du chocolat râpé.

Poulet au paprika

1 cuillère à soupe d'huile
4 portions de poulet
2 oignons coupés en rondelles
1 gousse d'ail écrasée
2 cuillères à café de paprika
1 boîte (380 g) de tomates pelées
15 cl de vin rouge
sel et poivre
1 cuillère à soupe de maïzena délayée dans 2 cuillères à soupe d'eau
25 cl de crème fraîche (facultatif)

Faites chauffer l'huile dans l'autocuiseur et faites dorer le poulet. Ajoutez-y l'oignon et l'ail, et laissez encore revenir 5 minutes. Saupoudrez le paprika et laissez cuire, tout en tournant, 2-3 minutes. Ajoutez les tomates et leur jus, le vin, salez, poivrez.

Vissez le couvercle et comptez 8 minutes de cuisson après le premier jet de vapeur.

Rectifiez l'assaisonnement, versez la maïzena et portez à ébullition. Laissez cuire, tout en tournant, jusqu'à ce que cela épaississe.

Ajoutez la crème et laissez réchauffer doucement, sans bouillir. Disposez le tout sur un plat de service chaud.

Pour 4 personnes

Poulet au madère

25 g de beurre
4 portions de poulet
1 cuilllère à soupe de farine
2 oignons coupés en rondelles
sel, poivre
15 cl de bouillon de poule
15 cl de madère
15 cl de crème
1 cuillère à soupe d'amandes effilées grillées pour décorer

Faites fondre le beurre dans l'autocuiseur. Passez les morceaux de poulet dans la farine, puis faites-les dorer. Ajoutez les oignons et laissez revenir 3-4 minutes.

Salez, poivrez, versez le bouillon et le madère.

Vissez le couvercle et comptez 18 minutes de cuisson après le premier jet de vapeur.

Rectifiez l'assaisonnement, ajoutez la crème et laissez réchauffer doucement sans bouillir.

Disposez sur un plat de service chaud et décorez avec les amandes. Servez aussitôt.

Pour 4 personnes

Coq au vin

25 g de beurre
4 portions de poulet
125 g de lard, découenné et coupé en lardons
2 oignons coupés en rondelles
1 gousse d'ail écrasée
125 g de champignons de Paris
15 cl de bouillon de poule
30 cl de vin rouge
1 bouquet garni
sel et poivre
1 cuillère à soupe de maïzena
POUR DÉCORER :
8 triangles de pain revenus dans du beurre
1 cuillère à soupe de persil haché

Faites fondre le beurre dans l'autocuiseur et faites dorer les morceaux de poulet. Ajoutez les lardons, les oignons et l'ail, et laissez revenir 4-5 minutes.

Ajoutez les champignons, le bouillon, sauf la valeur de 2 cuillères à soupe, le vin, le bouquet garni, salez et poivrez.

Vissez le couvercle et comptez 8 minutes de cuisson après le premier jet de vapeur.

Délayez la maïzena avec le reste de bouillon, versez dans la sauce, portez à ébullition et laissez cuire, tout en tournant, jusqu'à ce que cela épaississe.

Vérifiez l'assaisonnement et disposez sur un plat de service chaud. Décorez avec les triangles de pain et le persil haché.

Pour 4 personnes

Poulet à la marocaine

3 cuillères à soupe de jus de citron
1 cuillère à soupe de miel
1 cuillère à café de curcuma
4-6 clous de girofle
1 pincée de cannelle en poudre
60 cl d'eau
4 portions de poulet
250 g de riz long grain
sel et poivre
125 g de cacahuètes salées
1 orange coupée en tranches pour décorer

Dans un plat creux mélangez bien le jus de citron, le miel, le curcuma, les clous de girofle, la cannelle et la moitié de l'eau. Faites-y mariner 1 à 2 heures les morceaux de poulet.

Transférez le poulet et la marinade dans l'autocuiseur. Vissez le couvercle et comptez 8 minutes de cuisson après le premier jet de vapeur.

Otez le poulet et tenez-le au chaud. Ajoutez le riz dans l'autocuiseur, salez, poivrez et versez le reste d'eau.

Vissez le couvercle et comptez 8 minutes de cuisson après le premier jet de vapeur.

Incorporez les cacahuètes, puis disposez le tout sur un plat de service chaud, posez dessus les morceaux de poulet et décorez avec les tranches d'orange. Servez aussitôt.

Pour 4 personnes

Bœuf braisé

1 cuillère à soupe d'huile
1,250 kg de tende de tranche
30 cl de bouillon de bœuf
2 cuillères à soupe de concentré de tomates
1 cuillère à café de thym
15 cl de vin rouge
sel et poivre
2 oignons coupés en rondelles
4 carottes coupées en rondelles
2 poireaux coupés fin
125 g de petits champignons de Paris
10-12 olives noires
2 cuillères à soupe de maïzena

Faites chauffer l'huile dans l'autocuiseur et faites dorer le bœuf de tous côtés. Ajoutez le bouillon, sauf la valeur de 4 cuillères à soupe, le concentré de tomates, le thym, le vin, salez et poivrez.

Vissez le couvercle et comptez 25 minutes de cuisson après le premier jet de vapeur.

Ajoutez les légumes et les olives, refermez l'autocuiseur et comptez 5 minutes de cuisson après le premier jet de vapeur.

Disposez la viande sur un plat de service chaud.

Délayez la maïzena avec le reste de bouillon et ajoutez-la au liquide de cuisson, portez à ébullition et laissez cuire tout en tournant jusqu'à ce que cela épaississe. Disposez les légumes autour de la viande et nappez de sauce.

Pour 6 personnes

Tranches de bœuf braisées

1 cuillère à soupe d'huile
750 g de tende de tranche coupé en 4 ou 8 tranches
2 oignons coupés en rondelles
45 cl d'eau
2 cuillères à soupe de vinaigre de vin
1 cuillère à café de moutarde
1 cuillère à soupe de concentré de tomates
sel et poivre
1 cuillère à soupe de maïzena

Faites chauffer l'huile dans l'autocuiseur et faites dorer la viande des deux côtés ; ôtez les tranches et tenez-les au chaud. Faites dorer les oignons dans l'autocuiseur.

Ajoutez l'eau, sauf la valeur de 2 cuillères à soupe, le vinaigre, la moutarde, le concentré de tomates, salez, poivrez et mélangez bien. Ajoutez le bœuf.

Vissez le couvercle et comptez 15 minutes de cuisson après le premier jet de vapeur.

Délayez la maïzena avec le reste d'eau, versez dans le jus de cuisson, portez à ébullition et laissez cuire, tout en tournant, jusqu'à ce que cela épaississe.

Rectifiez l'assaisonnement et disposez le tout sur un plat de service chaud.

Pour 4 personnes

Bœuf à la flamande

750 g de bœuf à braiser
1 cuillère à soupe de farine
1 cuillère à soupe d'huile
500 g d'oignons coupés en rondelles
1 gousse d'ail écrasée
30 cl de bière
2 cuillères à soupe de concentré de tomates
sel et poivre
POUR DÉCORER (facultatif) :
8 tranches de pain
moutarde
persil haché

Coupez la viande en cubes et passez-les dans la farine.

Faites chauffer l'huile dans l'autocuiseur et faites dorer les cubes de viande, ajoutez les oignons et l'ail, et laissez-les revenir jusqu'à ce qu'ils soient transparents. Ajoutez le reste des ingrédients, salez et poivrez.

Vissez le couvercle et comptez 15 minutes de cuisson après le premier jet de vapeur.

Rectifiez l'assaisonnement et disposez le tout sur un plat de service chaud. Étalez de la moutarde sur un côté des tranches de pain et disposez-les tout autour de la viande, saupoudrez de persil et servez aussitôt.

Pour 4 personnes

Chili con carne

250 g de haricots rouges secs
25 g de saindoux
1 gros oignon haché
1 poivron vert évidé, épépiné et haché
750 g de bœuf haché
1 boîte (380 g) de tomates pelées
15 cl d'eau
1 cuillère à café de chili en poudre (plus selon votre goût)
2 cuillères à café de sucre
1 cuillère à café de paprika
1 cuillère à soupe de concentré de tomates
2 branches de céleri hachées

Mettez les haricots dans une jatte, couvrez-les d'eau bouillante et laissez-les tremper 30 minutes ; égouttez-les.

Faites fondre le saindoux dans l'autocuiseur et faites légèrement dorer l'oignon et le poivron, puis faites dorer le bœuf, en tournant de temps en temps.

Ajoutez les tomates et leur jus, le reste des ingrédients, les haricots, et mélangez bien.

Vissez le couvercle et comptez 30 minutes de cuisson après le premier jet de vapeur.

Mélangez bien et disposez sur un plat de service chaud. Accompagnez de riz nature.

Pour 4 personnes

Agneau à la méditerranéenne

1 cuillère à soupe d'huile d'olive
4 grosses ou 8 petites côtes d'agneau
1 gros oignon coupé en rondelles
1 gousse d'ail écrasée
1 aubergine coupée en rondelles
1 poivron rouge évidé, épépiné et coupé en rondelles
2 courgettes coupées en rondelles
250 g de tomates, pelées et coupées en quartiers
1 cuillère à café de thym
15 cl de vin rouge
sel et poivre
1 cuillère à soupe de maïzena délayée dans 2 cuillères à soupe d'eau

Faites chauffer l'huile dans l'autocuiseur et faites dorer les côtes des deux côtés ; ôtez-les et tenez-les au chaud.

Faites revenir l'oignon et l'ail jusqu'à ce qu'ils soient transparents. Ajoutez l'aubergine, le poivron et les courgettes, et laissez-les revenir 5 minutes.

Remettez les côtes dans l'autocuiseur, ajoutez les tomates, le thym, le vin, salez et poivrez. Vissez le couvercle et comptez 15 minutes de cuisson après le premier jet de vapeur.

Dégraissez, versez la maïzena, portez à ébullition et laissez cuire, tout en tournant, jusqu'à ce que cela épaississe.

Rectifiez l'assaisonnement, puis disposez le tout sur un plat de service chaud.

Pour 4 personnes

Agneau à la grecque

250 g de fèves ou de haricots blancs secs
1 cuillère à soupe d'huile d'olive
1 épaule d'agneau d'environ 1 kg
500 g d'oignons coupés en rondelles
1 gousse d'ail écrasée
1 boîte (380 g) de tomates pelées
1 cuillère à soupe de concentré de tomates
1 cuillère à café de thym
10-12 olives noires
persil haché

Si vous utilisez un légume sec, couvrez-le d'eau bouillante et laissez-le tremper 30 minutes ; égouttez.

Faites chauffer l'huile dans l'autocuiseur et faites dorer l'épaule des deux côtés. Otez-la et mettez-la de côté.

Faites revenir les oignons et l'ail jusqu'à ce qu'ils commencent à dorer. Ajoutez les tomates et leur jus, le concentré de tomates, le thym et les fèves, puis mélangez bien. Remettez la viande dans l'autocuiseur.

Vissez le couvercle et comptez 20 minutes de cuisson après le premier jet de vapeur.

Otez la viande, découpez-la en tranches et disposez-les sur un plat de service chaud. Ajoutez les olives à la sauce et nappez-en la viande. Décorez avec du persil, servez accompagné de riz nature.

Pour 4 personnes

Agneau sauté aux abricots

25 g de beurre
4 grosses côtes de mouton ou d'agneau
350 g d'oignons coupés en rondelles
1 pomme épluchée et coupée en rondelles
1 boîte (380 g) d'abricots au sirop, coupés en deux
15 cl de cidre ou de vin blanc sec (environ)
sel et poivre
2 cuillères à soupe de maïzena délayée dans 4 cuillères à soupe d'eau
10 cl de crème
persil haché pour décorer

Faites fondre le beurre dans l'autocuiseur et faites dorer les côtes des deux côtés. Otez-les et mettez-les de côté. Faites revenir les oignons 5 minutes dans l'autocuiseur.

Remettez les côtes et ajoutez la pomme. Ajoutez le sirop des abricots au cidre ou au vin pour obtenir 30 cl de liquide. Versez dans l'autocuiseur, salez et poivrez.

Vissez le couvercle et comptez 12 minutes de cuisson après le premier jet de vapeur.

Versez la maïzena dans la sauce, portez à ébullition et laissez cuire, tout en tournant, jusqu'à ce que cela épaississe. Rectifiez l'assaisonnement et ajoutez les abricots. Ajoutez la crème et laissez réchauffer doucement sans bouillir.

Disposez le tout sur un plat de service chaud, avec le persil.

Pour 4 personnes

Veau en fricassée

25 g de beurre
750 g de veau coupé en cubes
30 cl de bouillon de poule
1 bouquet garni
sel et poivre
8-12 petits oignons
125 g de petits champignons de Paris
2 cuillères à soupe de maïzena délayée dans 4 cuillères à soupe d'eau
2 cuillères à soupe de jus de citron
10 cl de crème fraîche
POUR DÉCORER :
4 tranches de lard fumé, découennées et coupées en deux
persil

Faites fondre le beurre dans l'autocuiseur et faites revenir le veau 5 minutes, en tournant de temps en temps. Ajoutez le bouillon, le bouquet garni, salez et poivrez.

Vissez le couvercle et comptez 10 minutes de cuisson après le premier jet de vapeur.

Ajoutez les oignons et les champignons. Vissez le couvercle et comptez 5 minutes de cuisson après le premier jet de vapeur.

Versez la maïzena, portez à ébullition et laissez cuire, tout en tournant, jusqu'à ce que cela épaississe. Rectifiez l'assaisonnement et ôtez le bouquet garni. Ajoutez le jus de citron et la crème, et laissez réchauffer sans bouillir.

Roulez les morceaux de lard et attachez-les avec une pique-coktail, puis passez-les 5 minutes sous le gril. Otez les piques.

Disposez le veau sur un plat de service chaud et décorez avec le lard et le persil.

Pour 4 personnes

Langue de bœuf sauce noisette

1 langue de bœuf d'environ 1,750 kg
1 oignon
2 branches de céleri
3 feuilles de laurier
2 branches de persil
SAUCE :
3 cuillères à soupe de mayonnaise
3 cuillères à soupe de crème fraîche fouettée
2 cuillères à soupe de noisettes grillées, hachées
sel et poivre
POUR GARNIR :
feuilles de cresson
feuilles de laitue
tranches de poivron rouge

Mettez la langue dans l'autocuiseur et couvrez-la d'eau. Portez à ébullition, ôtez la langue et jetez l'eau.

Remettez la langue dans l'autocuiseur, avec les légumes et les herbes, et remplissez d'eau à moitié.

Vissez le couvercle et comptez 15 minutes de cuisson par livre de langue après le premier jet de vapeur.

Otez la langue et retirez la peau et les os, puis pressez-la dans un moule de 15 cm à 18 cm de diamètre, couvrez avec une assiette et laissez une nuit au réfrigérateur.

Mélangez tous les ingrédients de la sauce, salez et poivrez.

Démoulez la langue, coupez-la en tranches et disposez-la sur un plat de service. Décorez avec des feuilles de laitue et de cresson, et des rondelles de poivron rouge. Servez avec la sauce.

Pour 6 à 8 personnes

Côtes de porc aux pommes

25 g de beurre
4 côtes de porc
500 g d'oignons coupés en rondelles
1 gousse d'ail écrasée
500 g de pommes épluchées et coupées en tranches
2 cuillères à soupe de concentré de tomates
1 cuillère à soupe de sucre roux
sel et poivre
30 cl de cidre
1 cuillère à soupe de maïzena

Faites fondre le beurre dans l'autocuiseur et faites dorer les côtes. Faites revenir les oignons et l'ail 2 minutes.

Ajoutez les pommes, le concentré de tomates, le sucre roux, salez et poivrez, et versez le cidre sauf la valeur de 2 cuillères à soupe.

Vissez le couvercle et comptez 15 minutes de cuisson après le premier jet de vapeur.

Posez les côtes sur un plat chaud. Écrasez les pommes dans la sauce.

Délayez la maïzena avec le reste de cidre, versez dans la sauce, portez à ébullition et laissez cuire, tout en tournant, jusqu'à ce que cela épaississe. Versez sur les côtes et servez.

Pour 4 personnes

Jambon hawaïen aux pêches

1 jambon dans l'épaule (1 kg environ)
2 boîtes de moitiés de pêche (ou d'ananas)
30 cl de cidre (environ)
3-4 clous de girofle
1 pincée de gingembre et une de cannelle
1 cuillère à soupe de maïzena délayée dans 2 cuillères à soupe d'eau

Mettez le jambon dans l'autocuiseur, couvrez-le d'eau froide et portez à ébullition. Retirez-le et jetez l'eau.

Mélangez du jus de pêche avec le cidre pour obtenir environ 45 cl de liquide. Versez dans l'autocuiseur, ajoutez les épices et le jambon. Vissez le couvercle et comptez 25 minutes de cuisson après le premier jet de vapeur.

Posez le jambon sur un plat chaud. Passez le jus de cuisson et remettez-le dans l'autocuiseur. Versez-y la maïzena, portez à ébullition et laissez cuire, tout en tournant, jusqu'à ce que cela épaississe. Passez la moitié des pêches au mixeur, puis incorporez cette purée au jus de cuisson.

Découpez le jambon en tranches que vous servirez chaudes ou froides, décorées avec le reste des pêches et la sauce à part.

Pour 6 personnes

Porc stroganoff

1 kg de jambon non fumé
25 g de beurre
1 oignon coupé en rondelles
1 gousse d'ail écrasée
250 g de champignons de Paris coupés fin
1/2 cuillère à café de graines de carvi
30 cl d'eau
sel et poivre
15 cl de crème fraîche
persil haché pour décorer

Mettez le jambon dans l'autocuiseur, couvrez-le d'eau froide et portez à ébullition. Égouttez-le et coupez-le en fines tranches. Rincez l'autocuiseur.

Faites-y fondre le beurre et revenir doucement l'oignon, l'ail et le jambon, 5 à 10 minutes. Ajoutez les champignons, le carvi, l'eau, salez et poivrez.

Vissez le couvercle et comptez 12 minutes de cuisson après le premier jet de vapeur.

Ajoutez la crème et laissez réchauffer doucement sans bouillir. Disposez sur un plat chaud, décoré de persil haché.

Pour 6 personnes

Poires au cidre

4 poires pelées
1 cuillère à soupe de jus de citron
1 cuillère à soupe de miel
1 cuillère à soupe de gelée de groseilles
30 cl de cidre

Mettez les poires dans l'autocuiseur. Mélangez le reste des ingrédients et versez-le sur les poires.

Vissez le couvercle et comptez 6 minutes de cuisson après le premier jet de vapeur.

Disposez les poires dans un plat creux, nappez-les de sauce et laissez refroidir. Mettez-les à glacer au réfrigérateur avant de servir.

Pour 4 personnes

Gâteau au miel et au citron

3 cuillères à soupe de miel liquide
125 g de farine tamisée avec 1 cuillère à café de levure chimique
125 g de beurre ramolli
125 g de sucre en poudre
2 œufs
le zeste râpé et le jus de 1 citron

Répartissez le miel au fond d'un moule à gâteau rond, à bords hauts, beurré.

Mélangez la farine avec le reste des ingrédients, puis versez dans le moule et lissez la surface. Recouvrez le gâteau de papier aluminium, fixé à l'extérieur avec de la ficelle, au milieu duquel vous ferez une fente.

Posez le moule dans le panier, dans l'autocuiseur contenant 1,75 l d'eau bouillante. Posez le couvercle, sans fermer, et laissez cuire 20 minutes, puis vissez et comptez 30 minutes de cuisson après le premier jet de vapeur.

Démoulez le gâteau sur un plat de service chaud.

Pour 4 à 6 personnes

Gâteau au chocolat

50 g de chocolat à croquer
1 cuillère à soupe de lait
1 cuillère à café de café instantané en poudre
125 g de farine
1 paquet de levure chimique
1 pincée de sel
1 cuillère à soupe de cacao en poudre
125 g de beurre
125 g de sucre en poudre
2 œufs
2 cuillères à café de zeste d'orange râpé

Faites fondre le chocolat au bain-marie avec le lait et le café instantané.

Mélangez la farine, la levure, le sel et le cacao. Travaillez le beurre et le sucre jusqu'à ce qu'ils forment un mélange clair et mousseux. Ajoutez-leur les œufs un à un, puis le zeste d'orange, et incorporez ce mélange à la farine.

Versez dans un moule beurré, lissez la surface, couvrez de papier aluminium maintenu à l'extérieur avec de la ficelle ; faites une fente au centre. Mettez-le dans le panier, dans l'autocuiseur contenant 75 cl d'eau bouillante.

Posez le couvercle sans le visser et laissez cuire 25 minutes, puis vissez et comptez 25 minutes de cuisson après le premier jet de vapeur.

Démoulez le gâteau sur un plat de service chaud et servez aussitôt avec une crème à la vanille.

Pour 4 à 6 personnes

Dessert à l'abricot

125 g d'abricots secs
30 cl d'eau bouillante
50 g de sucre
150 g de yaourt nature
20 cl de crème fraîche fouettée
1 cuillère à soupe de noisettes hachées grillées

Faites tremper les abricots dans une jatte, avec l'eau 10 minutes. Mettez les abricots et le jus de trempage dans l'autocuiseur. Vissez le couvercle et comptez 5 minutes de cuisson après le premier jet de vapeur.

Ajoutez le sucre aux abricots et tournez jusqu'à ce que le sucre soit dissous et les abricots un peu écrasés. Laissez refroidir dans une jatte, puis mettez au réfrigérateur.

Incorporez le yaourt et la crème au mélange, puis répartissez-le dans des coupes individuelles et décorez avec les noisettes.

Pour 4 à 6 personnes

QUELQUES CONSERVES RAPIDES

Crème au citron

4 œufs
le zeste râpé et le jus de 3 citrons
500 g de sucre
125 g de beurre ramolli

Battez les œufs et le jus des citrons dans une jatte allant au four. Incorporez-leur le zeste râpé, le sucre et le beurre.

Couvrez la jatte de papier aluminium et posez-la dans le panier, dans l'autocuiseur contenant 30 cl d'eau.

Vissez le couvercle et comptez 10 minutes de cuisson après le premier jet de vapeur.

Versez ce mélange dans des pots chauds et couvrez de paraffine. Quand c'est totalement refroidi, couvrez avec du papier cellophane et rangez dans un endroit frais et sec. Se garde 6 semaines.

Pour 1 kg de crème

Confiture de prunes

500 g de prunes rouges
6 cuillères à soupe d'eau
500 g de sucre en poudre

Avec la pointe d'un couteau incisez les prunes et mettez-les dans l'autocuiseur avec l'eau.

Vissez le couvercle et comptez 5 minutes de cuisson après le premier jet de vapeur.

Dénoyautez les prunes et passez-les au mixeur, puis mettez la purée obtenue dans l'autocuiseur avec le sucre. Remuez et laissez chauffer doucement jusqu'à ce que le sucre soit fondu. Portez à ébullition, laissez faire quelques bouillons, puis versez dans des pots et couvrez de papier cellophane.

Stockez les pots dans un endroit frais et sec.

Pour environ 750 g de confiture

Confiture d'abricots

500 g d'abricots secs
1,2 l d'eau bouillante
3 cuillères à soupe de jus de citron
1,5 kg de sucre en poudre
50 g d'amandes effilées (facultatif)

Mettez les abricots dans une jatte, ajoutez l'eau et le jus de citron. Laissez tremper 15 minutes. Mettez les abricots et le liquide dans l'autocuiseur.

Vissez le couvercle et comptez 10 minutes de cuisson après le premier jet de vapeur.

Ajoutez le sucre et laissez cuire jusqu'à ce qu'il soit dissous. Portez rapidement à ébullition et laissez faire quelques bouillons. Otez l'écume.

Ajoutez les amandes. Laissez refroidir 15 minutes, puis répartissez dans les pots et couvrez-les de papier cellophane. Rangez-les dans un endroit frais et sec.

Pour faire environ 2 kg de confiture

Confiture de groseilles à maquereau

750 g de groseilles à maquereau
15 cl d'eau
le zeste râpé et le jus de 2 oranges
750 g de sucre en poudre

Mettez les groseilles, l'eau et le jus d'orange dans l'autocuiseur.

Vissez le couvercle et comptez 3 minutes de cuisson après le premier jet de vapeur.

Ajoutez le sucre et laissez chauffer doucement jusqu'à ce qu'il soit dissous. Portez rapidement à ébullition, laissez faire quelques bouillons, ajoutez le zeste d'orange et reportez à ébullition.

Laissez refroidir, puis répartissez dans des pots, couvrez et rangez dans un endroit frais et sec.

Pour faire environ 1,25 kg de confiture

Gelée de groseilles et de pommes

1,25 kg de pommes, pelées et coupées en quatre
250 g de groseilles rouges
le jus de 1 citron
30 cl d'eau
sucre (voir quantité dans la recette)

Mettez tous les ingrédients, sauf le sucre, dans l'autocuiseur.

Vissez le couvercle et comptez 4 minutes de cuisson après le premier jet de vapeur.

Mélangez bien, puis passez dans un tamis pour que les fruits rendent tout leur jus.

Mesurez celui-ci et comptez 500 g de sucre en poudre pour 60 cl de jus. Faites chauffer doucement dans l'autocuiseur jusqu'à ce que le sucre soit dissous.

Portez à ébullition et laissez faire quelques bouillons. La gelée est à point quand, une cuillère de celle-ci versée sur une assiette froide prend consistance.

Répartissez la gelée dans des pots, couvrez-les de papier cellophane et rangez-les dans un endroit frais et sec.

Pour faire environ 1,5 kg de gelée

Gelée de pommes parfumée à la menthe

75 g de menthe
1 kg de pommes pelées et coupées en quatre
60 cl d'eau
2 cuillères à soupe de jus de citron
sucre (voir explication dans la recette)

Détachez les petites feuilles de menthe (environ la moitié), coupez-les fin et mettez-les de côté. Mettez les tiges et le reste des feuilles dans l'autocuiseur. Ajoutez les pommes, l'eau et le jus de citron.

Vissez le couvercle et comptez 4 minutes de cuisson après le premier jet de vapeur.

Tournez bien le mélange et procédez de la même façon que dans la recette ci-dessus. Quand la gelée fait des bouillons, ajoutez les feuilles de menthe coupées, puis reportez à ébullition. Terminez comme ci-dessus.

Pour faire environ 1,5 kg de gelée

Groseilles
et Pommes
Groseilles
et Pommes
Pommes
Parfumées
Pommes
Parfumées

Marmelade d'oranges à l'anglaise

750 d'oranges amères
1 citron
60 cl d'eau
1,5 kg de sucre en poudre

Pressez le jus des oranges et du citron et mettez-le dans l'autocuiseur. Mettez les pépins et la peau blanche dans une mousseline ; nouez-la et ajoutez-la dans l'autocuiseur. Coupez les zestes d'orange et de citron en lamelles et ajoutez-les. Versez l'eau.

Vissez le couvercle et comptez 15 minutes de cuisson après le premier jet de vapeur.

Otez la mousseline et laissez refroidir. Ajoutez le sucre et laissez chauffer doucement, tout en tournant, jusqu'à ce qu'il soit dissous.

Augmentez le feu et portez à ébullition. Laissez bouillir jusqu'à ce que la cuisson soit atteinte : lorsque vous déposez une cuillère de marmelade sur une assiette froide, elle se prend.

Écumez si nécessaire. Laissez reposer hors du feu 15 minutes, cela évitera aux zestes de remonter à la surface quand vous mettrez la marmelade en pot. Répartissez-la dans les pots, couvrez-la de papier de cellophane et entreposez-la dans un endroit frais et sec.

Pour faire environ 1,75 kg de marmelade

Marmelade à l'anglaise pamplemousse et citron

500 g de pamplemousse
500 g de citrons
60 cl d'eau
1,5 kg de sucre en poudre

Pelez finement les pamplemousses et les citrons. Coupez les zestes en lanières fines et mettez-les dans l'autocuiseur. Pressez le jus des fruits et versez-le dessus. Mettez les peaux blanches et les pépins dans une mousseline nouée que vous ajouterez dans l'autocuiseur. Versez l'eau.

Vissez le couvercle et continuez la préparation comme dans la recette précédente (page 88).

Pour faire environ 1,75 kg de marmelade

Chutney indien aux tomates

45 cl de vinaigre de malt (ou de cidre)
350 g d'oignons hachés fin
1 kg de tomates vertes coupées en quartiers
500 g de pommes épluchées et coupées en tranches fines
250 g de raisins de Smyrne (facultatif)
1 cuillère à café de sel
1 cuillère à café de gingembre moulu
1 cuillère à café de mignonnette à steak nouée dans une mousseline
350 g de sucre roux

Mettez la moitié du vinaigre, les oignons, les tomates, les pommes, les raisins, le sel et les épices dans l'autocuiseur.

Vissez le couvercle et comptez 10 minutes de cuisson après le premier jet de vapeur.

Ajoutez le reste du vinaigre, le sucre et laissez chauffer doucement, tout en tournant, jusqu'à ce qu'il soit dissous. Augmentez le feu, portez à ébullition et laissez mijoter, sans couvrir, à feu doux 15 minutes ; le chutney doit épaissir.

Otez la mousseline et répartissez le chutney dans des pots, couvrez-les de papier cellophane et entreposez-les au frais et à l'abri de la lumière.

Pour faire environ 1,5 kg de chutney

NOTE : les chutney apportent une note délicieusement exotique aux viandes grillées.

Chutney à la citrouille

1 kg de citrouille pelée et coupée en dés
sel
60 cl de vinaigre de malt (ou de cidre)
500 g de pommes épluchées et coupées en dés
250 g d'oignons hachés
1 cuillère à café de mignonnette à steak nouée dans une mousseline
1/4 cuillère à café de gingembre moulu
250 g de raisins secs
250 g de sucre roux

Dans une jatte alternez la citrouille et le sel, laissez dégorger plusieurs heures. Égouttez bien.

Mettez la moitié du vinaigre, la citrouille, les pommes, les oignons, les épices, les raisins dans l'autocuiseur et mélangez bien.

Vissez le couvercle et comptez 10 minutes de cuisson après le premier jet de vapeur.

Ajoutez le reste de vinaigre et le sucre roux et continuez comme dans la recette précédente.

Pour faire environ 1,5 kg de chutney

Chutney au gingembre

60 cl de vinaigre de malt (ou de cidre)
1 kg de rhubarbe coupée en rondelles épaisses
250 g d'oignons hachés
250 g de pommes épluchées et coupées en dés
1 cuillère à café de sel
1 cuillère à café de mignonnette à steak nouée dans une mousseline
1 cuillère à café de gingembre moulu
350 g de sucre roux
50 g de gingembre confit haché (facultatif)

Mettez la moitié du vinaigre, la rhubarbe, les oignons, les pommes, le sel et les épices dans l'autocuiseur.

Vissez le couvercle et comptez 10 minutes de cuisson après le premier jet de vapeur.

Ajoutez le reste de vinaigre, le sucre et continuez la préparation comme dans la recette de chutney aux tomates (page 90).

Quand le chutney a épaissi, incorporez-lui les morceaux de gingembre confit et reportez à ébullition.

Mettez en pots et couvrez.

Pour faire environ 1,5 kg de chutney

Gelée de mûres

1,5 kg de mûres lavées
le jus de 2 citrons
30 cl d'eau
sucre en poudre (voir quantité dans la recette)

Placez les mûres dans l'autocuiseur avec le jus de citron et l'eau.

Vissez le couvercle et comptez 3 minutes de cuisson après le premier jet de vapeur. Laissez la pression redescendre doucement.

Pressez les fruits pour en extraire le maximum de jus et passez à travers une mousseline.

Mesurez la quantité de jus et ajoutez 450 g de sucre pour 50 cl de jus. Versez le tout dans l'autocuiseur ouvert et tournez à feu doux jusqu'à ce que le sucre soit dissous. Laissez alors bouillir à gros bouillons, pour que la gelée devienne suffisamment épaisse, environ 15 à 20 minutes.

Versez la gelée dans des pots chauds et secs. Couvrez avec de la paraffine quand elle est encore chaude. Quand la gelée est froide, ajoutez des couvercles de cellophane. Conservez dans un endroit frais et sec, à l'abri de la lumière.

INDEX